Nekoatsume Official book
ねこあつめ

監修 / Hit-Point

もくじ

5 いつもの場所です

15 いろんな空間シリーズ

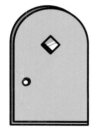

29 いってみよう！ 別世界へ

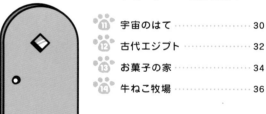

39 レアねこをさがせ！

49 いろいろシチュエーション

59 ハッピーアニバーサリー！

69 ねこの集会所

79 ねこ紹介

91 グッズ紹介

いつもの場所です

ドアの向こうは、ねこたちが集まるいつもの場所。遊んで欲しくてこちらにやってきたしろねこさん。おなじみのいつもの背景にシールを貼って、ねこを集めてみよう！

縁側のある風景

のどかないつもの縁側。庭には野球ボール
と植木鉢。立体トンネルで遊ぶさびがらさ
ん。縁側には、ねこの大好きなおもちゃと
クッションが置いてあります。こたつのなか
でまるまるねこ二匹。それぞれのグッズに
合うねこのシールを貼って、ねこを集めてみ
ましょう。

※巻末の「いつもの場所です」用シールをご使用ください。

2 scene.

池と床の間

和の雰囲気に包まれた風流な池と床の間。赤いのだてがさの上で、はいいろさんはすやすやお昼寝中。ストーブの前では、おなかをすかせたきじとらさんがごはんを待っています。よく見るとレアねこが出現するグッズがちらほら。レアねこをたくさん集めてみましょう。

※巻末の「いつもの場所です」用シールをご使用ください。

scene. **3**

ウッドデッキ

やさしい木のぬくもりが心地よいウッド
デッキ。パラソルの下にはひなたぼっこす
るねこを、ビッグクッションの上にはすやす
や眠るねこを貼ってみましょう。つめとぎ
したいねこもいます。緑豊かな広々とした
庭にはガラス瓶やケーキの箱で遊ぶねこを
貼ってみましょう。

※巻末の「いつもの場所です」用シールをご使用ください。

Cafe.

11

モダンスタイル

白と黒をベースにしたシンプルな部屋にカラフルな配色がおしゃれなモダンスタイル。おしゃれな部屋にねこもすまし顔。ここには、ねこがたくさん集まるタワーが置かれています。タワーの上でお昼寝したり、箱のなかから顔を出したり、好きなねこを集めてみましょう。

※巻末の「いつもの場所です」用シールをご使用ください。

いろんな空間シリーズ

緑のドアからトンネルとはいいろさんのしっぽ。このドアのむ
こうに広がるのは、ねこたちが集まるいつもと違ういろんな
空間。それぞれの質問に合うねこを探してみよう！

パイプの間

ドアを開けると、細長いトンネルで区切られた巨大迷路のような部屋。ここはねこたちが遊ぶパイプの間。さばとらさんは、トンネルから顔を出したりしっぽを出したり。むぎわらさんは、道に座ってとおせんぼ。同じねこが何匹もいるけれど、よく見ると、一匹しかいないねこがいます。一匹しかいないねこを探してください。

ねこタワーの部屋

高いところが大好きなねこたち。3段タワーにアスレチックEX、ちょっと変わった形のタワーを積み上げて、ねこタワーが完成！頂上は見晴らし最高。くろぶちさんは、一番上ですやすやお昼寝。箱の穴から顔を出しているねこ。ツメときやおもちゃ遊びをしているねこ。このなかで、一匹しかいないねこを探してください。

モダンタワーの部屋

白・黒・赤のシックな色合いがおしゃれな
モダンタワーの部屋には、タワーの色に似
たねこたちが大集合。しろねこさんにくろ
ねこさんにあかげさん。まるでアートみたい
にきれいに並んでいる。色がよく似ている
ねこもタワーにのぼってまったり。このなか
で、一匹しかいないねこを探してください。

クッションの休憩所

たくさん遊んだら畳の部屋で少し休憩。お昼寝タイム。色とりどりのお座布団やクッションの上ですやすやお昼寝。気持ち良さそうにごろごろごろり、ごろにゃーん。ふかふかクッションに埋もれてしあわせそう。クッションの休憩所はいつでも満員御礼。たくさんいるねこのうち、一匹しかいないねこを探してください。

まあるいもの体育館

赤・青・黄のゴムボール。野球ボールにサッカーボール。スイカに鞠にピンポン球。まあるいものがたくさんころがっている。ここはまあるいもので遊ぶ体育館。お気に入りを見つけたら、ころころころがして、夢中で遊ぶねこたち。同じねこも違うボールを持って遊んでいる。このなかから、一匹しかいないねこを探してください。

かくれんぼの庭

おやおや、庭で水浴びをしていると思った
ら、バケツや植木鉢にかくれてかくれんぼ。
顔だけ出して、かくれてないけど、かくれん
ぼ。壺に入ってねこ壺になっているねこもい
ます。土鍋でまるまっているねこはお昼寝
中。色や柄が良く似ているねこがたくさん。
このなかから、一匹しかいないねこを探し
てください。

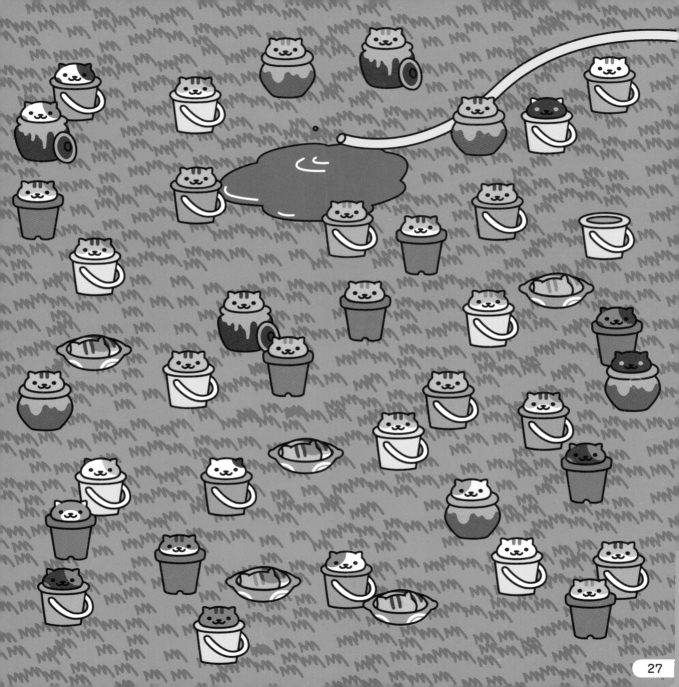

いってみよう！　別世界へ

青いドアをそーっとのぞいているちゃはちさん。ドアの向こうは見たことのない別世界。不思議な旅のはじまり。さぁ、別世界にいるねこたちを探しに行こう！

宇宙のはて

ねこ型 UFO に乗って銀河に飛び出したねこたち。遥かかなた、宇宙のはて。無重力でふわふわ浮いて宇宙ねこ飛行。銀河に浮かぶ金にぼしをキャッチ。月のような黄色い惑星にたどり着いたしろねこさんは、にゃんめん着陸、バンザーイ！　とびみけさんは、花柄の惑星でなぞのねこ星人に遭遇。おっどさんは何匹いるでしょう？

古代エジプト

ここは砂漠が広がる古代エジプト。ねこたちはタイムスリップした様子。砂漠の上には大きなねこ型スフィンクス。レンガの壁にのぼってなにが見えるかな。灼熱の太陽もテントの中は快適。らくだに乗ってどこへ行くのか、しろきじさんときじとらさん。このなかに、すふぃんさんは全部で4匹います。ちゃとらさんは何匹いるでしょう？

お菓子の家

大きなプリンにホットケーキ。カラフルなマカロンタワー、クッキー、チョコレート。甘いにおいに誘われて、たどり着いたお菓子の家で、ねこたちはおおはしゃぎ。チョコレートもクッキーもいつまでも食べていたい。ちゃはちさんは、お菓子の家の屋根にのぼって嬉しそう。このなかに、とーびーさんは何匹いるでしょう?

scene. 13

35

牛ねこ牧場

広々とした緑が広がるのどかな牛ねこ牧場。
白黒もようのねこたちは自由気ままに遊ん
でいます。木の下でりんごをキャッチ。白い
蝶々を追いかけジャンプ。新鮮なミルクを
飲んでにっこり。牧草ロールをのぼったりこ
ろがしたり。そんなねこたちを牧場の上で
見守るやまねこさん。このなかに、くろぶ
ちさんは何匹いるでしょう？

MILK

WELCOME

 Nekoatsume Official book

レアねこをさがせ！

突然現れたレアねこにビックリしているあかげさん。なかなか会えないけれど、会えると嬉しいレアねこたち。よく似たねこのなかから、本物のレアねこを探そう！

山風景

緑が美しい新緑の季節。すがすがしい空気が流れる山のふもと。リュックを背負い、登山コースを訪れるたくさんのねこたち。川のせせらぎ、色鮮やかな植物、遠くに広がる山景色を眺めながら、山歩きを楽しむやまねこさん。たくさんいるねこのなかから、やまねこさんを探してください。本物のやまねこさんはどこでしょう?

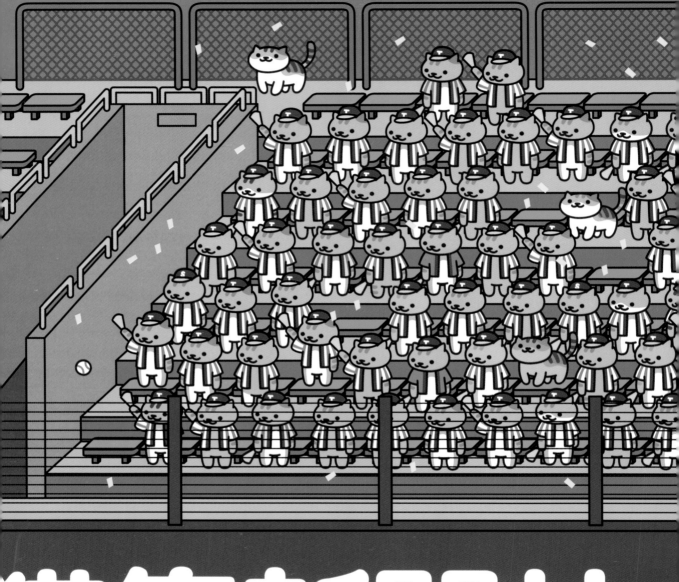

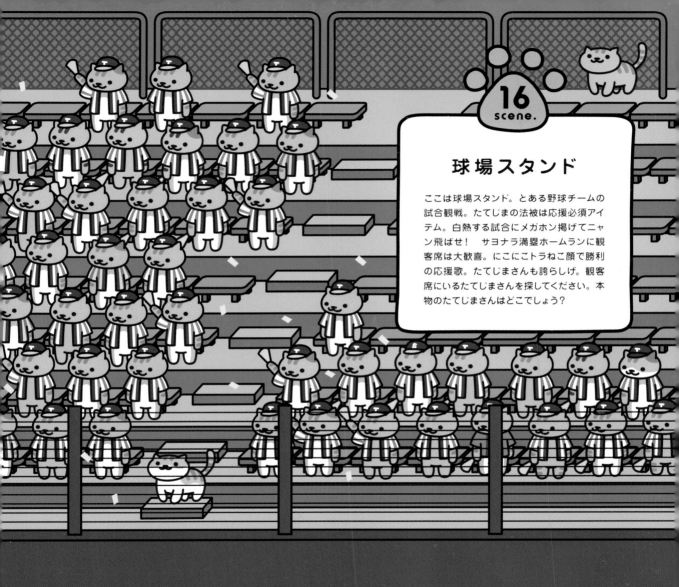

球場スタンド

ここは球場スタンド。とある野球チームの
試合観戦。たてじまの法被は応援必須アイ
テム。白熱する試合にメガホン掲げてニャ
ン飛ばせ！　サヨナラ満塁ホームランに観
客席は大歓喜。にこにこトラねこ顔で勝利
の応援歌。たてじまさんも誇らしげ。観客
席にいるたてじまさんを探してください。本
物のたてじまさんはどこでしょう？

リゾートビーチ

常夏の太陽の下、南国ビーチにお忍びで遊びにきたあめしょさん。まぶしい太陽にサングラスもバッチリ。白い砂浜、青い海、カラフルなトロピカルドリンクに夏気分も高まりごきげん。セレブな夏はまだはじまったばかり。ビーチでバカンス中のあめしょさんを探してください。本物のあめしょさんはどこでしょう？

Beach bar

47

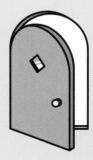

いろいろシチュエーション

黄色いドアを開けて一体どこへ行くのでしょう？　ごはんを
食べたりお出かけしたり、ねこたちの毎日をいろいろなシチュ
エーションごとにのぞいてみましょう。

scene. 19

カリカリねこ食堂

おなかを空かせたねこたちが集まるカリカリねこ食堂。みんなが好きな高級カリカリがたくさんあるから、ごはんの時間は大騒ぎ。お行儀良く一列に並んでいただきまーす！お刺身もねこ缶も嬉しいごちそう。たくさん食べたごはんのあとは、隣の部屋でぐっすりお昼寝。至福のひととき。このなかに、みけさんは何匹いるでしょう？

51

ねこカフェ

ナチュラルウッドの壁にテーブル。淡いベージュの色合いで統一されたやさしい雰囲気に、ねこたちもほっとくつろぐねこカフェ。天然素材は居心地ばつぐん。ふかふかクッションもおもちゃもねこ心をつかんで離さない。夢中でボール遊びするねこたち。おやつは特大パフェにねこ型ホットケーキ。しろとらさんは何匹いるでしょう？

20 scene.

53

scene. 21

無人ねこ駅

人のいない駅にねこたちがやってきて、いつのまにか無人ねこ駅に。改札でえきちょうさんにねこあし切符を見せたら、電車に乗ってねこ座り。窓の外が気になるみたい。反対側のホームにはフェンスをのぼるやんちゃさんも。えきちょうさんの笛が鳴ったら発車の合図。さびがらさんは何匹いるでしょう？

にぼし駅

にぼし

カリカリ　　　　かんづめ

ねこの島

ぶかぷか波に揺られてやってきた。ここは
夏の楽園。ねこの島。まんぞくさんは魚を
たいらげご満悦。しまみけさんとくろとらさ
んはイカダに乗って冒険の海。砂浜に打ち
上げられたやどかりとひとでにねこパンチ。
砂の上のねこたちはぽかぽかお昼寝。あっ
たかごろりん。このなかに、目をつむって
いるねこは何匹いるでしょう？

ハッピーアニバーサリー！

一年に一度の特別な日は、ねこたちもみんな集まってお祝い。
ピンクのドアのむこうでは、楽しい楽しいアニバーサリー。
準備はバッチリ。さぁ、ドアを開けてみよう！

23 scene.

お正月

元旦を迎え新しい一年の始まりにしろねこさんはおおはしゃぎ。獅子舞、羽根つき、鏡餅、福袋、金にぼし。門松の前で追いかけっこ。一富士二鷹三なすび。富士山に初登りするやまねこさん。ストーブの前に集まって、みんなで仲良くおもちが焼けるのを待っています。このなかに、あかげさんは何匹いるでしょう？

イースター

イースターはイエス・キリストの復活祭。カラフルなイースターエッグをきれいに並べてお祝いの準備。ねこたちは、殻のなかにもぐったり、小さなイースターエッグを手に取ったりして興味津々。うさぎの上やかごのなかでお昼寝しているねこもいる。このなかに、くりーむさんは5匹います。あかげさんは何匹いるでしょう?

ハロウィン

今夜はハロウィン。黒いねこたちが大騒ぎ。カボチャをくり抜きジャック・オー・ランタン。リンゴをくわえてアップルボビング。暗闇に光る目に、ねこのお化けもやってきて、空にはコウモリが鳴いている。このなかに、くろとらさんは何匹いるでしょう？　よく探してみてください。お化けと一緒にかくれているかも。

クリスマス

雪降る聖なる夜は、あったかい暖炉でぽかぽかぬくぬく。大きなツリーを飾ったら、今日はみんなが大好きなクリスマス。ツリーの下にはサンタさんからのプレゼント。早く食べたいテーブルの上の豪華なごちそう。部屋のなかには、雪のように真っ白なしろねこさんが3匹います。とーびーさんは何匹いるでしょう？

26
scene.

ねこの集会所

いつもの時間にあの場所で。赤いドアの向こうは、合言葉のような秘密のしぐさで集まるねこたちの集会所。たくさんのねこのなかから、質問のこたえに合うねこを見つけよう。

27 scene.

公園

午後の公園は今日もにぎやか。しろねこさんとくりーむさんは黄色いブランコに揺られてゆーらゆら。いつのまにかすやすやお昼寝。寝ながらバランスを取るのは慣れっこ。砂場でかけ声よーいどん！ 埋めたにぼしを探してここほれにゃんにゃん。誰が最初に見つけるのかな？ このなかに3匹いるねこを探してください。

NEIKO

28 scene.

路地

どこかの家から焼き魚のいいにおいがしたら、路地に集まるねこ集会の合図。静かな路地はねこたちでいっぱい。しろくろさんもドアを開けてやってきた。ひさしや屋根の上にのぼって高みの見物。マンホールの上でよく似たねこ同士が寄り添ってすりすりごろごろ。なごみの時間。このなかに3匹いるねこを探してください。

パーキング

車のいないパーキングはねこたちの集会所。どこからともなく集まってきて、じっと座って車の代わりに駐車中。赤い車の屋根にのぼってお昼寝したり、フェンスにのぼったりして自由気まま。白、黒、灰色、似ているけれど、よく見るとそれぞれに特徴があるねこたち。このなかに3匹いるねこを探してください。

工事現場

建築中の工事現場もねこにとってはアスレチック。抜き足、差し足、ねこ足で、足場のパイプもすいすいのぼる。安全第一。しっぽを立ててバランスを取ったら決めポーズ。探検隊は、はしごをのぼって屋根の上でお昼寝だ！ パイプのなかに顔をつっこみおなじみのかくれんぼ。このなかに3匹いるねこを探してください。

安全 ＋ 第一

安全 ＋ 第一

新版

ねこ辞典

ねこあつめに出てくるかわいいねこ
たちの紹介辞典です。それぞれの性
格や特徴をつかんでアプリで遊んだ
り、ねこたちの暮らしを想像したりし
て楽しんでください。

ver.1.3.1

あかげさん 【akage-san】

いろ / 種類	●○ 赤毛

| せいかく | てれ屋 | せんとうりょく | 60 |

とてもシャイなあかげさん。箱のなかやテントのなかは、あかげさんの隠れポイント。すっぽりはまってこっちを見てる。あたまもおしりもて出ているけど、あかげさんは隠れているつもりなのかな？

あかさびさん 【akasabi-san】

いろ / 種類	●● 赤サビ

| せいかく | 慎重派 | せんとうりょく | 80 |

おもちゃもごはんもじっくり観察。あせらないあかさびさんは、吊り橋をたたいてわたる慎重派。じぶんのねこ幅にピッタリくる座り心地のいい場所をさがしている。あ、ピッタリくる場所、見つけたんだね。

おっどさん 【odd-san】

いろ / 種類	●○○ 黒（オッドアイ）

| せいかく | 人見知り | せんとうりょく | 165 |

黄色い目と青い目をもつめずらしいくろねこのオッドアイ。あまり人慣れしていないおっどさんは、そっとこっちを見つめている。後ろ姿を見せたり、背中を見せて座っていたり。もしかして、背中で話っているのかも？

きじとらさん 【kijitora-san】

いろ / 種類	●● キジトラ

| せいかく | 食欲のおに | せんとうりょく | 140 |

どこかの家からおいしいにおいがするのか、食べ物のにおいにつられてあっちにうろうろ、こっちにうろうろ。くんくんしながら流浪のねこ旅。食欲にウソはつけない。食べたいときに食べる。それがしあわせなのだ。

くつしたさん 【kutsushita-san】

いろ / 種類	●○ くつした

| せいかく | ぼうけんか | せんとうりょく | 70 |

くつしたさんは外に出たくてたまらない。外にはワクワクがいっぱいだから。お家を脱走して今日も高いところにのぼったり、穴のなかにもぐったり。ニャン生は冒険だ！ 未知なる遊びを求めて今日も穴にもぐって冒険中。

くりーむさん 【cream-san】

いろ / 種類	○ ● クリームぶち
せいかく	きまぐれ	せんとうりょく	45

おしりのハート型のぶちもようがかわいいくりーむさん。待っているとこないけど、いつのまにか遊びにきて、いつのまにか帰っている。会いたい気持ちを知ってか知らずか、じらし上手なねこらしいねこ。

くろぶちさん 【kurobuchi-san】

いろ / 種類	○ ● 黒ぶち
せいかく	さみしがり	せんとうりょく	40

ふと気がつくと、目立つところでじーっとしているくろぶちさん。お昼寝も目立つところでまるくなってすやすや、すやすや。誰かのいるところにいたいみたい。じーっとこっちを見ているのは、遊んでほしい合図かな？

くろねこさん 【kuroneko-san】

いろ / 種類	● ● 黒
せいかく	ツンデレ	せんとうりょく	140

ふわふわ揺れるあのおもちゃを見つけたら、自由気ままにねこパンチ。くろねこさんは縛られない。いつでも自分の道を行く。追いかけたり、つかまえたり、動くおもちゃに目がないみたい。どうやらねずみのおもちゃも好きらしい。

くろとらさん 【kurotora-san】

いろ / 種類	● ● 黒トラ
せいかく	かしこい	せんとうりょく	75

いきなりあらわれてじーっとしている系のねこ。日かげにいるとちょっと黒く見える。くろとらさんは、ひとの気持ちを察するかしこいねこ。目をほそめて、ぐるぐるまわる世の中の動きもさりげなくよんでいる。

さばとらさん 【sabatora-san】

いろ / 種類	● ● サバトラ
せいかく	めんどくさがり	せんとうりょく	160

いつもごろごろまるくなって、気がつくと寝ているさばとらさん。おもちゃで遊ぶよりも寝ていたいねこ。寝てばかりいるけど、いざというときには頼りになる。能あるねこはツメをかくす。さばとらさんもツメをかくす。

さびがらさん 〔sabigara-san〕

いろ / 種類	●● サビ
せいかく	わいるど	せんとうりょく	180

ときどきふらっと旅に出て、泥だらけになってもすました顔で帰ってくる。さびがらさんはたくましい。遊びもスポーツもいつでも本気の真剣勝負。甘いにおいのするあの箱を見つけると、しっぽをふって夢中で遊ぶよ。

しろきじさん 〔shirokiji-san〕

いろ / 種類	○◐● キジトラ白
せいかく	まったり	せんとうりょく	30

うつりゆくものをぼんやりとながめるのが好きなねこ。まったり座れるお座布団を置いてあげよう。今日はなにを見ているのか。たまにじーっと一点を見つめてうごかないことがある。たぶん、しろきじさんにしか見えないものが見えている。

しろくろさん 〔shirokuro-san〕

いろ / 種類	○● 白黒
せいかく	おちょうしもの	せんとうりょく	75

トンネルのような長いものには巻かれていたいお調子者のしろくろさん。ながーい穴の中には、なにがあるのか興味津々。ひょっこり顔を出したり、おしりを出したり。すましているけど、ときどき、穴にはまって抜けなくなることもある。

しろさばさん 〔shirosaba-san〕

いろ / 種類	○●● サバトラ白
せいかく	びびり	せんとうりょく	0

のんびり、まったり系のねこ。おおきな音はビックリするから苦手。しずかにすごせるドーム型クッションの中はしろさばさんの特等席。ときどきトンネルの中でかくれんぼしながら寝ているのは内緒。

しろちゃとらさん 〔shirochatora-san〕

いろ / 種類	○◐● 茶トラ白
せいかく	きょとんさん	せんとうりょく	90

風の吹くまま気の向くまま。気がつくとボールと一緒にころがっているしろちゃとらさん。いつのまにか遊びにきて、いつのまにかこたつの上で眠っている。こたつのなかにいるときは、みんなのためにこたつをあたためているらしい。

しろとらさん 【shirotora-san】

いろ / 種類	◯●● 白サバトラ
せいかく	がんばりや

せんとうりょく　130

ばたばた揺れるおもちゃを追いかけて、夢中で遊ぶしろとらさん。一生懸命手をのばしたら、両手両足をあげてバンザーイ！　もう少しで届きそう。ボールを見つけたらリズミカルにころころ。遊ぶのに夢中になってもお昼寝の時間は忘れない。

しろねこさん 【shironeko-san】

いろ / 種類	◯ 白
せいかく	おっとり

せんとうりょく　80

ふわふわしたもの、あったかいものを見つけたら、真っ白なからだをまるめてごろにゃーん。このぬくもりがたまらない。ぬくぬく、ほかほか、もふもふ。しあわせそうな寝顔にほっこり。ぐっすり眠れるふかふかグッズを置いてあげよう。

しまみけさん 【shimamike-san】

いろ / 種類	◯●●● 縞三毛
せいかく	スローライフ

せんとうりょく　40

ごはんのとき以外はいつも昼寝している系のねこ。昼寝しないと眠くなる。昼寝ばかりでも眠くなる。毎日睡眠不足。大きなあくびをしたらお座布団の上でごろごろ。いつのまにかうっとり夢心地。夢のなかでもお昼寝中。

ちゃとらさん 【chatora-san】

いろ / 種類	●● 茶トラ
せいかく	イケメン風味

せんとうりょく　150

イケメン風味のちゃとらさんは、まちのみんなの人気者。ちゃんとみんなのところに遊びにきてくれるから、いつもモテモテのモテねこさん。今日は遊びにきてくれるかな。サッカーボールを置いてちゃとらさんを呼んでみよう。

ちゃはちさん 【chahachi-san】

いろ / 種類	◯● 茶ハチワレ
せいかく	優柔不断

せんとうりょく　45

ちょっとづつ、遊びたいものがたくさんある。いろんなおもちゃに、いつもきょろきょろ。そわそわ迷って決められない！　あか・あお・きいろのゴムボール。今日は何で遊ぼうか。おもちゃがたくさんあるししあわせ。

とーびーさん 【torbie-san】

いろ / 種類	○ ● ● ● トービー
せいかく	負けず嫌い	せんとうりょく	155

とんだりはねたり、ねこ走りで遊び回る、遊ぶの大好きとーびーさん。ボール遊びもつめとぎ競争も、あのねこには負けたくない！どうやらライバル視しているねこがいるらしい。どっちが勝つのかよーいどん！

とびみけさん 【tobimike-san】

いろ / 種類	○ ● ● とび三毛
せいかく	やんちゃ	せんとうりょく	120

やんちゃなとびみけさんは遊ぶのがだーいすき。ボールを見つけてころころ、ころころ。箱のなかではもぞもぞ動いてかくれんぼ。高いところを見つけたら、てっぺんにむかってジャンプ！　あれ、まだ遊びたりないのかな？

はいいろさん 【haiiro-san】

いろ / 種類	● 灰
せいかく	ふしぎちゃん	せんとうりょく	50

ほんわかマイペースに遊ぶはいいろさん。いつも不思議そうな顔をして、ふわふわ浮いた雲のよう。くつしたにぶらさがってゆーらゆら。金魚をじーっとみつめてぐーるくる。今日はなにを考えているのかな。

はいしろさん 【haishiro-san】

いろ / 種類	○ ● 灰白
せいかく	高級志向	せんとうりょく	100

はいしろさんは、小さな違いも見逃さない。ボールのさわりごこちも、ツメのときごこちも、座布団の座りごこちもみんな違う。だからちょっと高級なものを置いてあげよう。ねこ缶はいつものあのブランドがお気に入り。

はいはちさん 【haihachi-san】

いろ / 種類	○ ● 灰ハチワレ
せいかく	わがまま	せんとうりょく	140

あたらしいものを見つけると、とことこ歩いてやってきて、いつのまにかなじんでる。いつだって好きなもので遊んでいたい。好きなごはんを食べていたい。好きなものしか好きじゃない。そう、はいはちさんは、自分の気持ちに正直なのだ。

はちわれさん 【hachiware-san】

| いろ / 種類 | ○ ● ハチワレ |
| せいかく | しっかりもの　せんとうりょく　150 |

はちわれさんは決めている。いつもの時間にいつものごちそう。商店街の魚屋のおっちゃんがくれる魚のきれはしが毎日のごちそうだ。準備はOK！今日もおっちゃんのところに向かって、ダンボールドライブでレッツゴー！

ぶちさん 【buchi-san】

| いろ / 種類 | ○ ● 茶ぶち |
| せいかく | やきもち焼き　せんとうりょく　80 |

ぶちさんの一番のお気に入りはおうちのグッズ。窓の中からひょっこり顔をだしてこんにちは。ぐるぐる回るねずみさんも蝶々さんもこんにちは。ごはんのにおいがしたらほんとのおうちに帰る時間。また明日も遊びにきてね。

ぽいんとさん 【point-san】

| いろ / 種類 | ○ ● ポインテッド |
| せいかく | つんつん　せんとうりょく　170 |

いたずらっこ、ねこあしべたり。ひらいた本のページに、ぽいんとさんのあしあとべたり。ひざの上にのっかって、読書のじゃまをしにきたら、かまってほしいの合図だよ。おもちゃを置いてあそんであげよう。

みけさん 【mike-san】

| いろ / 種類 | ○ ● ● 三毛 |
| せいかく | のんびり　せんとうりょく　50 |

みけさんは毎日おなじ道を歩いてやってくる。変わらないようで少しずつ変わっていく季節の色。ニャン生を重ねた散歩道。散歩のあとはひと眠り。ごはんのあともひと眠り。ひと眠りしてまたひと眠り。

むぎわらさん 【mugiwara-san】

| いろ / 種類 | ● ● ● 麦わら |
| せいかく | 天然　せんとうりょく　125 |

夏がきたらにぎわうビーチにねこダイブ。まぶしい太陽の下で遊んだら、ふかふかクッションでぐっすりお昼寝。夏がおわると裏山の神社でひなたぼっこ。だからむぎわらさんは一年中こんがりむぎいろ。

あめしょさん 【amesho-san】

いろ / 種類	⚪●●●●●● アメショ
せいかく	アイドル気質
せんとうりょく	100

人気ナンバーワンの売れっ子モデルねこ。独特の
ファッションとスラリとしたねこあしが自慢。華やか
なモデル仕事もあめしょポーズでひそかにストレッチ。
あめしょさんは努力家なのだ。

えきちょうさん 【ekicho-san】

いろ / 種類	⚪●●●●● 駅長
せいかく	お目付け役
せんとうりょく	50

出発進行、異常なし。笛をならして電車を見守るえき
ちょうさんは、いつのまにかみんなの人気者。車窓に
うつる姿もかっこいい。おなかがぼかぼかあったかい
から、いつも同じ場所から電車を見守っている。

おさむらいさん 【osamurai-san】

いろ / 種類	⚪●● 浪人
せいかく	元指南役
せんとうりょく	250

刀をかまえた凛々しい武士ねこ。剣術の腕前はすごい
らしい。太い丸太もあっという間に木彫りのクマに早
変わり。おみやげやさんに売ってるあれ。今は居候の
身分なので、ご主人様のために座布団をあたためてい
る。

かふぇさん 【cafe-san】

いろ / 種類	○ ● ● ● ● エプロンドレス
せいかく	先手必勝
ぜんとうりょく	180

ぽかぽか日当りの良いみどりの屋根の小さなカフェ。かわいいエプロン姿でお客さんを案内するかふぇさんは、いつもにこにこ笑顔でお客さんからも大人気。かふぇさんの笑顔にみんな元気になる。

こいこいさん 【koikoi-san】

いろ / 種類	○ ● ● ● ● 小判
せいかく	商売上手
ぜんとうりょく	20

こいこいさんが手招きすると、福がたくさんやってくる。みんな笑顔で大喜び。商売繁盛、福をよぶ、不思議な力をもったねこ。にっこり笑ってこいこい手招き。ほら、にぼしもたくさんふってくるよ。

すふぃんさん 【sphin-san】

いろ / 種類	○ ● ● ● ネメス
せいかく	クイズ王
ぜんとうりょく	230

あたまに古代エジプト風のうすいあおときいろの縞模様の頭巾をつけたねこ。ピラミッド・テントから顔を出してじっとしたまま動かない。なにやらクイズに目がないらしい。

たてじまさん 【tatejima-san】

いろ／種類	●●○●●●○ 縦縞
せいかく	熱狂
せんとうりょく	28

しろとくろの縦縞の法被を着て帽子をかぶり、メガホン片手にとある野球チームの勝利を願う。勝つとごきげん。負けると……。ふだんは無口だけど、ボールを見つめるたてじまさんの心は熱い。

ながぐつさん 【nagagutsu-san】

いろ／種類	○●●●● チョビヒゲ
せいかく	策略家
せんとうりょく	30

チョビヒゲがトレードマークのながぐつさんは、つねに相手の先をよむ、かしこい頭脳をもったねこ。ゆらゆらゆれるねずみをやっつけるのも朝飯前。この角度もこだわりがあるとかないとか。

なべねこさん 【nabeneko-san】

いろ／種類	○●●● 迷彩
せいかく	大艦巨砲主義
せんとうりょく	111

土鍋を置くとにこにこしながらやってくる迷彩もようのねこ。ふたをかぶって身をひそめ、おたまを片手に戦闘準備。土鍋のようにガードが固いなべねこさんは毎日がサバイバル。そんなに身をひそめて、一体誰と戦うのかな？

ねこまたさん 【nekomata-san】

いろ / 種類	○ オーラ
せいかく	すごい
せんとうりょく	222

すごいオーラをもっているご長寿ねこ。そばに寄るとビビビとくる。何年生きているのか誰も知らない。長生きしているうちに、ふわふわのまるいしっぽがふたつに分かれてふたまたになったとか。

びすとろさん 【bistro-san】

いろ / 種類	○●●● エプロン
せいかく	職人肌
せんとうりょく	30

袖をまくって今日もみんなのためにピザを焼く。生地にこだわるびすとろさんがねこ手でこねたもちもちピザは大人気。かつおにまぐろにさんまにあじ。獲れたて魚をトッピング。おいしく食べたらデザートのパフェが待ってるよ。

ぷりんすさん 【prince-san】

いろ / 種類	○●●● ペルシャ
せいかく	王族の佇まい
せんとうりょく	70

どこからやって来たのかわからないけれど、小さな王冠と豪華な布をまとった姿はどこかの国の王族のよう。白いしっぽをぴんと立たせ、じっと座ったまま動かない。王様のように堂々としている。

まろまゆさん 【maromayu-san】

いろ / 種類	○●●●● 狩衣
せいかく	雅
せんとうりょく	150

うつくしいもの、はなやかなものを見ては、詩にかきとめている風流なねこ。高貴な公家の装いで、俳句も川柳もお手のもの。きれいなまりをじっと見つめて物思い。今日もまた新しい詩が浮かんだみたい。

まんぞくさん 【manzoku-san】

いろ / 種類	○ もふもふ
せいかく	まっしぐら
せんとうりょく	130

突然現れて高級なごはんをペロリと全部食べてしまう、食欲旺盛な食いしんぼうのらねこ。まんぷくになったおなかをさすり、しあわせそうに眠る姿にくめない。起こさずそっとしておくとにぼしをたくさん置いていってくれる。

やまねこさん 【yamaneko-san】

いろ / 種類	●○●●●● トレッキング
せいかく	山の子
せんとうりょく	40

世界中の山をのぼる登山一家のやまねこさんは、どんな山でも頂上めざす。明けない夜がないように、やまねこさんにのぼれない山はない。アスレチックEXのてっぺんで、次なる山を吟味している。

ねこあつめに欠かせないグッズたち。
好きなグッズを選びましょう。おも
ちゃで遊ぶねこのしぐさや、お昼寝
する姿に癒されます。テーマを決め
て配置するのも楽しいですよ。

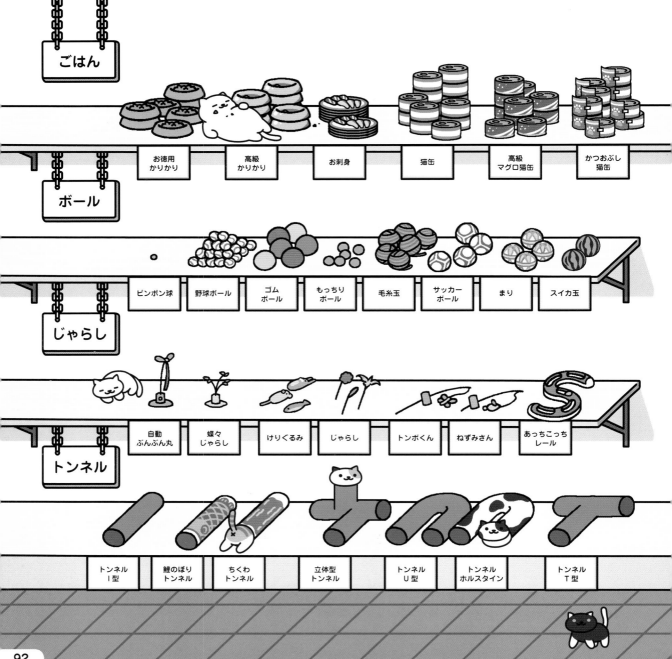

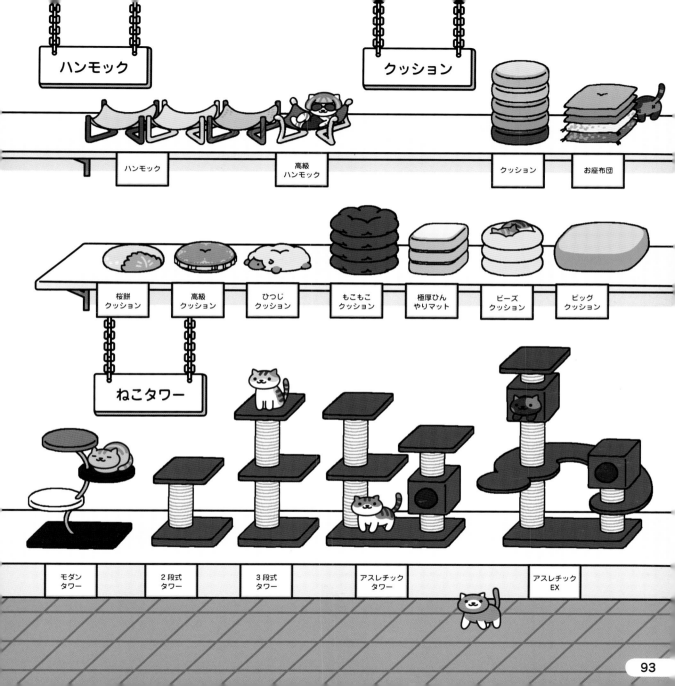

ハンモック

クッション

| | ハンモック | | 高級 ハンモック | | | クッション | お座布団 |

| 桜餅 クッション | 高級 クッション | ひつじ クッション | もこもこ クッション | 極厚ひん やりマット | ビーズ クッション | ビッグ クッション |

ねこタワー

| | モダン タワー | | 2段式 タワー | | 3段式 タワー | | アスレチック タワー | | アスレチック EX |

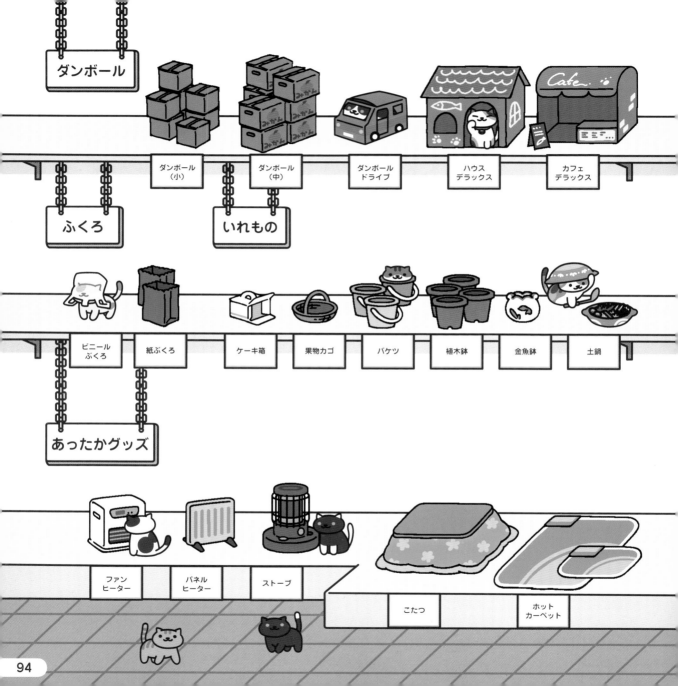

ダンボール					
ダンボール（小）	ダンボール（中）	ダンボールドライブ	ハウスデラックス	カフェデラックス

ふくろ　　**いれもの**

ビニールぶくろ	紙ぶくろ	ケーキ箱	果物カゴ	バケツ	植木鉢	金魚鉢	土鍋

あったかグッズ

ファンヒーター	パネルヒーター	ストーブ	こたつ	ホットカーペット

ねこハウス

| テント・ブリザード | テント・ピラミッド | ナチュラルテント | テント・レッドモダン | ねこちくら | ドーム型クッション |

爪とぎ

| ガラス花瓶 | 壷 | 梅壷 | くつした | 横置き爪とぎ | 縦型縄爪とぎ | 高級丸太爪とぎ |

ひんやりグッズ

| 極冷アルミプレート | 天然大理石プレート | ひんやりマットL | | ビーチパラソル | | のだてがさ |

Nekoatsume Official book

ねこあつめ

ねこづくし百景

2015年9月11日　初版発行

監修	Hit-Point
発行人	青柳昌行
編集	ホビー書籍編集部 〒104-8441 東京都中央区築地1-13-1 銀座松竹スクエア
編集長	久保雄一郎
担当	岡本真一
協力	エンターブレイン事業局
発行	株式会社KADOKAWA 〒102-8177 東京都千代田区富士見2-13-3 ☎ 0570-060-555（ナビダイヤル） http://www.kadokawa.co.jp/
印刷・製本	図書印刷株式会社

STAFF

アートディレクション	守屋史世（ea）
イラスト	水谷さるころ、せきやややや、高橋きの
協力	一関麻衣子
文	出澤由美子
企画協力	光岡 優、高崎 豊、森田一平、新谷 亮（Hit-Point）

● 本書の内容・不良交換についてのお問い合わせ先
エンターブレイン・カスタマーサポート
☎ 0570-060-555（受付時間：土日祝日を除く12:00～17:00）
メールでのご質問：support@ml.enterbrain.co.jp ※メールの場合は、商品名をご明記ください。

❶ 縁側のある風景

シール貼付け例

↓ たてじまさん

↓ くりーむさん

↓ とびみけさん

↓ しろくろさん

↓ しろちゃとらさん

↓ あかさびさん

↓ しまみけさん

↓ ちゃはちさん

↑ さばとらさん

↑ しろさばさん

❷ 池と床の間

シール貼付け例

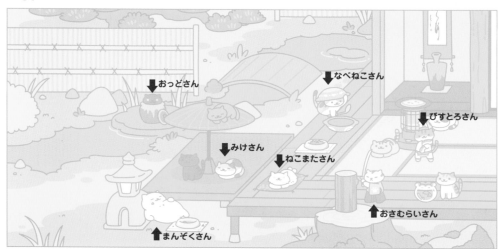

↓ おっどさん

↓ なべねこさん

↓ ぴすとろさん

↓ みけさん

↓ ねこまたさん

↑ おさむらいさん

↑ まんぞくさん

いつもの場所です
③ ウッドデッキ

シール貼付け例

↓あかげさん
↓とびみけさん
↓くろぶちさん
↓はいいろさん
↑ぽいんとさん
↑はちわれさん
↑くろとらさん

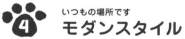

いつもの場所です
④ モダンスタイル

シール貼付け例

↓はいしろさん
↓さびがらさん
↓とーびーさん
↓ちゃとらさん
↑しろねこさん
↓しろきじさん
↑はいはちさん
↑ぶちさん
↑くつしたさん
↑むぎわらさん

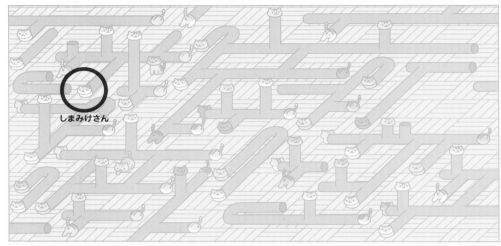

しまみけさん

くりーむさん

いろんな空間シリーズ
7 モダンタワーの部屋

一匹しかいないねこを探してください。

p.20

くつしたさん

いろんな空間シリーズ
8 クッションの休憩所

一匹しかいないねこを探してください。

p.22

さびがらさん

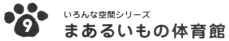

9 いろんな空間シリーズ
まあるいもの体育館

一匹しかいないねこを探してください。

p.24

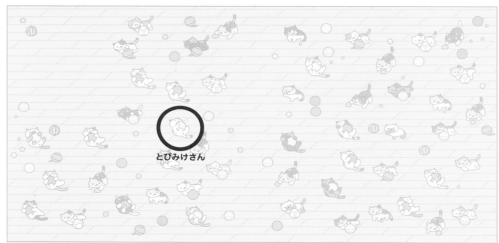

とびみけさん

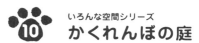

10 いろんな空間シリーズ
かくれんぼの庭

一匹しかいないねこを探してください。

p.26

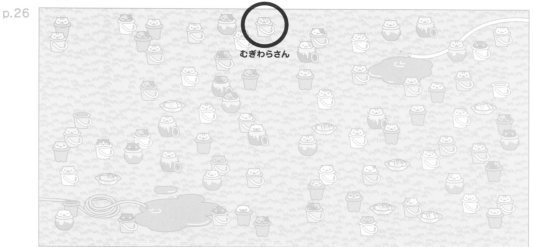

むぎわらさん

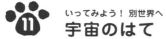

いってみよう！別世界へ
⑪ 宇宙のはて

おっどさんは何匹いるでしょう？ - - - - - 3匹

p.30

いってみよう！別世界へ
⑫ 古代エジプト

ちゃとらさんは何匹いるでしょう？ - - - - - 3匹

p.32

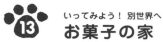

いってみよう！別世界へ

⑬ お菓子の家

とーびーさんは何匹いるでしょう？ - - - - - 4匹

p.34

いってみよう！別世界へ

⑭ 牛ねこ牧場

くろぶちさんは何匹いるでしょう？ - - - - - 9匹

p.36

レアねこをさがせ！
山風景

本物のやまねこさんはどこでしょう？

p.40

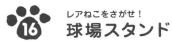

レアねこをさがせ！
球場スタンド

本物のたてじまさんはどこでしょう？

p.42

猫集新聞社

レアねこをさがせ！
17 平安宮廷

本物のまろまゆさんはどこでしょう？

p.44

レアねこをさがせ！
18 リゾートビーチ

本物のあめしょさんはどこでしょう？

p.46

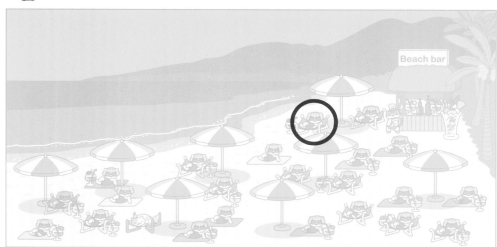

19 いろいろシチュエーション カリカリねこ食堂

みけさんは何匹いるでしょう？ - - - - - 2匹

p.50

20 いろいろシチュエーション ねこカフェ

しろとらさんは何匹いるでしょう？ - - - - - 3匹

p.52

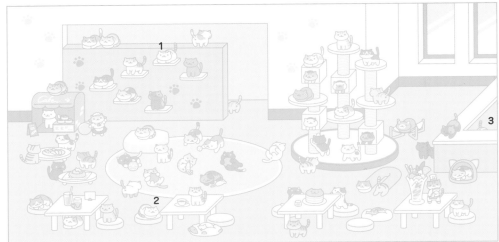

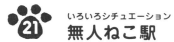

いろいろシチュエーション
㉑ 無人ねこ駅

さびがらさんは何匹いるでしょう? - - - - - 3匹

p.54

いろいろシチュエーション
㉒ ねこの島

目をつむっているねこは何匹いるでしょう? - - - - - 23匹

p.56

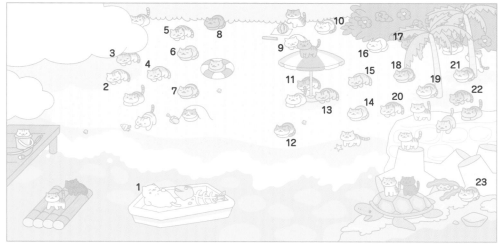

23 ハッピーアニバーサリー！
お正月

あかげさんは何匹いるでしょう？ - - - - - 9匹

p.60

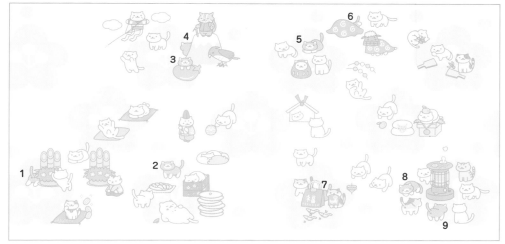

24 ハッピーアニバーサリー！
イースター

あかげさんは何匹いるでしょう？ - - - - - 7匹

p.62

25 ハッピーアニバーサリー！ ハロウィン

くろとらさんは何匹いるでしょう？‐‐‐‐‐7匹

p.64

26 ハッピーアニバーサリー！ クリスマス

とーびーさんは何匹いるでしょう？‐‐‐‐‐3匹

p.66

ねこの集会所
27 公園

3匹いるねこを探してください。

p.70

ねこの集会所
28 路地

3匹にいるねこを探してください。

p.72

ねこの集会所
㉙ パーキング

3匹いるねこを探してください。

p.74

ねこの集会所
㉚ 工事現場

3匹いるねこを探してください。

p.76

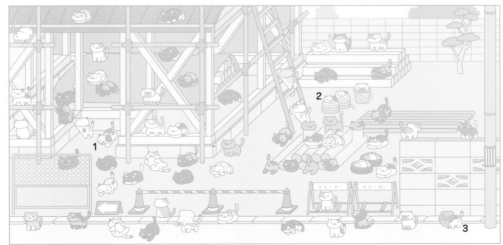